BLACK
BOY
BLUE

D1317600

Malachi D. Smith

4-M Home Press
820 N.W. 186 Drive
Miami Gardens, Fl. 33169
(305) 653-0409 • (305)-302-5365
malismith@aol.com

Acknowledgements

I wish to thank Prof. Mervyn Morris of the Faculty of Arts and General Studies, University of the West Indies (U.W.I.), Mona, for his invaluable help in a number of areas and Don Rico Ricketts for the cover design.

4-M Home Press
820 N.W. 186 Drive
Miami Gardens, Fl. 33169
U.S.A.
(305) 653-0409
(305)-302-5365

PRINTED IN THE USA
by
4C Graphic & Printing, Inc.
www.4cgraphic.com

Dedicated to my mother Mildred Sankey

To my dear wife Marcia "Sweetie", my sons, Maurice and Marlon
To the memories of my grandmother, Mama Lee,
To my late great grandfather, "Santie",
and my dear cousin Vernie.

Contents

Miss Yuh Jamaica Gal

In Miami in de U.S. of A
Driving on de 112 Highway
In dis concrete hell
Just work
Very Little time to play
Thirsty for some coconut water
Or to sight scene
Yuh know what a mean
Peeking at de girls in dem skin-fit jeans.
A heard a roar
And a look to de sky
There was an Air Jamaica flying by
And a cry
A miss you like crazy
Miss you Jamaica mi baby
Miss de curry chicken back and gravy
Miss mi sugar and water
Miss mi idrens
Miss mi dawtas.

Miss mi Sunday morning breakfast
Two fingers of soft boiled bananas
A big red snapper
One large Scotch Bonnet pepper
An ice-cold red Stripe
Jesus nice!
Or a big bundle of greens
One onion
Few slices of tomato
Black pepper
And jussa little bump a salt fish
Wid quarter spoon a butter
To add de flavor
Five slices of bread
And wash it dung
Wid a big enamel mug of hot chocolate tea.

Miss eating a good Jamaican dinner
Jus t'inking bout it mek mi mout water
Dumpling, pumpking, mackerel and banana
White rice, okra, and de good ole docta
Ackee and salt fish

Jerk chicken and hard-dough bread
Bulla cake and pear
Jackfruit, navel fruit, grapefruit
Naseberry, strawberry and pomegranate
Custad-apple, pineapple and stinkin'-toe
Stringy mango, beefie mango, East Indian
If yuh nuh lazy
Yuh cyaa be hungry in my island.

Miss going into a cane field
Bruck a tall, slender crackers
And tek mi teeth strip her
From top to root
Crushing her body
Sucking every ounce of her juice
'Till mi belly full
And shine like a coolie foot
Lotion wid coconut oil and belch!
Like when an ole Ford Transit mini-bus backfire

Miss de beauty pageants
Every day and everywhere yuh have one
Girls dat have a little African
Indian, Chinese, European, Syrian
Sprinkled with a dash of American
Every corner yuh turn
Yuh bump eena one
Every beach yuh go
Yuh see dem for miles and miles on de sand
Out of many
Born as one
Beautiful as a Lover's Leap morning.

Pretty as a Negril sunset
Eyes bright as comets
Nose picture perfect
Mout shape by God himself
Cheeks parallel to dem shoulder
Skin like butter
And a brain
Dat would put poor Eve to shame

I will bet any man
When it comes to natural beauty
No woman can match my Jamaicans
Miss oonu gal
Miss oonu like crazy
Miss oonu curry chicken back and gravy

Miss de mirror shine of my granny cedar floor
De squeaky hinges dat hung her kitchen door
De coconut custad she made for me
Miss sleeping in de breeze
Under de ole Graham Mango tree
Miss her newspaper cleaned lamp shade
De cobwebs dat tied your face making you afraid
Walking in de dark guided by peenie-wallie
De strange sounds of night in de country
Croaks and whistling of toads and bugs
Yes, a really miss you
Jamaica my love

Miss lifting up your skirt
Marvel and admire your innocent nakedness and beauty
Miles and miles of black, gold and white sand
From yuh forehead to yuh toes
Majestic mountains dat reach up from below
Up to heaven and tickle Massa God foot bottom
Guango, Cedar, Mahagony, Lingum Vitae
King of de Forrest, Fasten-Pon-Coat, Dandy Lion
And de good ole cerosee
Ocean dat massage and shape your waist line
Cool trade winds dat curve your spine
Warn sun dat gives you your golden tan
Yes, a really miss you my island.

Miss drinking mi belly full of good Jamaican water
America , yuh good to mi
But a miss yuh my sweet Jamaica

God a have one wish
Turn all dem corrupt politicians
Murderers, thieves and gun man
Back eena good patriotic Jamaicans
And I'd pack my suitcase today
And come back home
To walk yuh streets
To sing yuh songs
Eat yuh food
To live and die
In my island.

LOVE

for Marcia

I miss you now
when evening comes
home with her lonely guest for dinner

I miss you now
when night comes
home with cold thighs for supper

I miss you now
when dream comes
home with her naked body

I miss you now
when morning comes
and your sun is missing from my pillow

I miss you now
but I know you are here
your portrait hanging on my mind

Blues 88

I man jucks pon I gate
sitting in limbo
a meditate
on a dry tree stump
on a hillside
outside a city
name Blues 88

history a pump like blood thru mi veins
nuff a dem a wonder if I gone insane
a start to sing
a slow song
"Many rivers to cross
but where to begin…
I doan really know"

a sad song
a deep one

verses long like history
deeper than de Nile added to de Mississippi
dat stretched beyond de frontiers of time
to de dawn of civilization
where man moved stones to higher heights
building monuments upon de Nile
pyramids and kingdoms to testify
of Egypt, Ethiopia, Somalia, Swaziland, Sudan,
Tanzania, Ghana, Nigeria, Libya, Mali, Congo

land of great kings
noble forefathers

a sing of my father David
My mother Sheba
My brothers
Solomon, Shaka Zulu, Sam Sharpe, Toussaint,

Paul Bogle, Nat Turner, Biko, Mandella, Marley Tosh, Marcus
Martin executed
Malcolm assassinated
all tomb in de bosom of de Nile

clock strike nine
reality invade mi mind
a preps mi TV set an see
Debbie winning a bronze medal at Calgary

going for de gold
de pressure and cold of a blue world
invade her mind so she slip, an fell
but rise again
to white blue cheers
white blue hugs
a bronze blue medal
black blue disappointment
rage and abandonment

talk bout she "didn't want to be a role model?"
still nuh no demself eh
still a glorify white man theory she dem a monkey
so dem run from dem reality
like Humpy Dumpy

a wonder if all she
ever stop to read her history
of de warriors who fought to make us free
who sang de blues on de plantations
who were executed for altering de white man's plan
true role models eena any situation

of Rosa
sweet-sweet flower
pretty black queen from Alabama
tired of de oppression an dispossession
of a system welded together with satanic precision
sat blue in de front of a white bus
and caused a mighty ruckus

nuff man coffers went empty
nuff lose dem sanity
others woke up to reality
singing de blues

need niggers to keep de bus rolling
need niggers to keep de money flowing
need niggers so we can get pay
scrap dis stupid system today!

Rosa was a true champion

of Nanny
great Maroon warrior
heroine of Jamaica
de greatest skater of all times
used to skate on rocks and prickles

barefoot

from Blue Mountain Peak in de east
to Maroon Town in de west
twenty four hours a day
with her artistry
of Kumina and John Canoe riddim
with thripple jumps and flips
somesaulting across gaping ravines
and deat stark precipice
ambushing de evil ones

survivors called her obeah ooman

(lie)

Nanny was a true champion
who sang de blues all her life

of hunger
of no shelter
of being a nobody
yet she out-skated dem
time and time again

a sing de blues for Nanny
but crown her heroine of a whole race

of Daddy Marcus
field-Marshal
admiral
general

who raised up an army spanning continents
parading black pride and dignity
commanded, " up you mighty race!
one God
one aim
one destiny!"

prosecuted, robbed, ridiculed
shot and jailed
died of de blues

of Sam Sharpe
a privileged house-slave
tired of de blues situation
got mad
and bun-dung half of an island

a lot of people went to bed
without supper dat night
but for once somebody did something right

of Mohammed Ali
who floated like a butterfly
and stung like a bee
spat straight in de face of de society

sent to jail
him tear it dung
defending I an I life and freedom

a got up
tossed a stone in a pool
sending out ripples

on CNN

Jessie Jackson mi fren
poor black fellow from dung south
a beat dem all bout

floating like a butterfly
stinging like a bee
wisdom of Solomon
punching harder than Ali

him beat dem here
him beat dem there
him kick dem butts everywhere
him give Ed grass
Ronald Regan hay
Bush something to make him bray
Meese-Meese-Meese, I-ran-Iran, Iran
still Ducasse win de race

what a disgrace

confused
a pick up a copy of de mawning news
an is jus blues, blues, blues
a regular story
jus a slight change in de plot
and a new character

a black man
nailed to a blue cross
against a white backdrop
Alcee Hastings
anodder victim
of de blues system

framed like a picture
betrayed and crucified like a dawg
an all a wi turn away
with our tails between our legs

not one dawg bark
not one dawg bite
every dawg accept defeat without ah fight

next page

apartheid in South Africa
spills over de border
thousands of blacks murdered
millions sentenced to life in mental penitentiary
no one nuh guilty

in Overtown
trigger happy cop lick shaat
two more black birds fall ded
a feel a surge!
a si de Nile and Mississippi
muddy! bloody!

a hit de sky
mi whole body screaming
tears cannot materialize revolutionary dreams

remember McKay?

if we must die
let us die.
let our mothers die
let our fathers die
let our brothers die
let our sisters die
let our children die

if we must die

but if we must live
let us live in dignity

stop look sympathy!
mek a plan!
execute it man!
level de land!
rise up as one!

as Sam Sharpe
as Toussaint
as Nat Turner
as Harriet Tubman
as Selassie
as Nanny
as Rosa
as Bogle
as Malcolm
as Marley
as Tosh
as Marcus

one God
one aim
one destiny

mek wi face wi reality

let's leave de hog-shed mentality
de plantation mentality
de concrete hell mentality
de inner city mentality
de ghetto mentality
de jungle fever mentality
de crab in ah barrel mentality
de junkie bandwagon mentality

let's all go to a black party.

Oonu Nuh Care

look pon dem
two feet
three feet six
looking like fish pot sticks

six years
seven years
coming to jail
to get dem share

oonu nuh care

bwoy it hard
Rasta no seh it dread
to satta and watch de youths
tear and nyam de dry bread

dem hair natty
dutty
frousy
like de bauxite mud lake
dem clothes stink as hell
dem mout wash wid bad wud

yuh clatt
clatt Babylon
echo thru hell like thunder

what a start fi de future generation
jail?
because dem in need of care

woe
unto dem in high places
de ones who live in honor
and will die in righteousness
de ones who make de laws with long claws
to grapple de youths from de ghetto.

Stop It

early one mawning
in de ghetto
tension red
de scene well dread

man face mask wid lacerations
graffiti pon wall a screw
hand delivering threats

leaver dis yah corner
for it dread, dread on yah
pass thru quick
at yuh own risk

de dread dem ride up
khaki jacket stiff
mafia blackka-black-red
iron teet ready
fi tear thru flesh

de sun run go hide
backka Mass Joe zinc fence
as de angels of deat
dismount and hold dem corner

leave dis yah corner
for it dread, dread on yah
pass thru quick
at yuh own risk

modder Wisdom up a hill
under de spirit
caught a vision
a de situation

she dash weh de piece a dry bread
and de mug a black coffee
grab her big red flag
and dash dung de lane

leave dis yah corner
for it dread, dread on yah
pass thru quick
at yuh own risk

de modder bawl
she spin roll after roll and bawl
lawd stop it
lawd stop it
too much blood shed
too much pickney under fed

lawd stop it
lawd stop it
too much division
eena de nation

Michael/Gabriel/Eddie/Lucifer

stop it!

1980 Jamaica

new broom
sweep clean
but old broom
know the corners

new broom
sweep away everything

including my
anti-patriotic
anti-progressive
friends

and dump them
in the free market

jungle of
crash programs.

Schemers

i see dem scheming
scheming, scheming

i see de bad blood
vampires sucking de poor suffarahs
with satellite dish
and high profile antennas

cheaters hunting mankind
with M16 and AK47
praying to go to heaven
to drink milk and honey
it nuh funny

i see dem scheming
scheming, scheming

bloody Babylonians
jogging on de beat
armed wid kinks and mis-philosophy
searching our pockets
with calculators
pilfering de lass dollar

i see dem scheming
scheming, scheming

drawing all kinds of cards
green card, face card
bad card
joker
steal I drum beat
sey de rock, de jazz
too sweet for us alone
to party
so dem dancing, prancing
wrapping dem down brain
out of balance frame
trying to steal
even wi little what-left identity
what a calamity

i see dem scheming
scheming, scheming

setting dem traps
road blocks
broken backs
train lines
cross roads
heavy, heavy locks
cell blocks
want to give I heart attack
to tomb I in dem plot
gonna put a stop to you schemers
got to fight back
gonna pour black blood in de soil
to fertilize de children.

Yard

reggae music in de air
everywhere
people
dancing, prancing
melting, swaying, rubbing
dubbing
de heavy reggae riddim

havin fun
in de sun
splash

lawd sah
heaven nuh nice
like yaso sah

dee jay chants
rope een
jump an prance
nice up de dance
dash weh yuh guns

get it together
mek wi 'ave little fun
oink!

lawd sah
heaven nuh nice
like yaso sah

peanuts
cracking nuts
salted nuts
ital
roast corn
broasted
chicken an fish
jerk pork
ackee an saltfish
de national dish

lawd sah
heaven nuh nice
like yaso sah

split a front
split a back
split a side
split a middle
de African
American
English, German, Chinese
Indian, Syrian, Jamaican
dawtas a model
wicked!

lawd sah
heaven nuh nice
like yaso sah

spliff a blaze
cop tun him back
gun shatt a buss
right to left
political polarization
hey a wha do dem
a wa do dem, dem, dem

play yard style music
nuff, nuff
phone Public Eye
mek nuff noise
we love excitement

lawd sah
heaven nuh nice
like yaso sah.

Parting

something is wrong

the glitering mirror of your face
has faded

something is wrong

i see no sparkle in your eyes
i see no spring when you smile
i taste no ginger when we kiss.

Memories

remember how we sat
in the heart of the night
eyes sleepy with wine

remember how we sat
in the heart of the night
on the ocean's edge
listening to the sea
sink and die
in the bosom of the sand

remember how we sat
in the heart of the night
cuddled in each others arms

me strumming the cords on your thighs
your eyes sang
our bodies danced
breakfast in bed in the morning.

Love Song

let's forget the politics
of the world tonight
that wrong is wrong
or right is right
that in the east walls are tumbling down
just you and I wrapped up
warm and sound

forget I'm even here
strumming fingers through your hair
carving pictures on your skin
setting off volcanoes deep within

lets forget Oprah
and Donahue
hit the stage without cue
forget we are holding hands
lets just dance to a love song.

Rebirth

one butterfly
two wings torn apart
one soul
migrated
with a piece of each others heart

disappeared
off the radar of the mind
eloped
settled in a river
at the bottom of time

awakened by destiny's cool stir
flew back home
to warm the chill

in a tropical land
kisses bloomed
flowers flowered
hearts mended
wings healed
and once more they soared

one butterfly
one heart
forever as one.

One Dance

sheeeeeeeeeeeehhhhhhhhhhhhhhheeeeeeeeeehheehheee

let's hold hands
and savor

this dance of life
this kinetic flow, this fire

raging
in my loins`

before the curtain
of rapture.

Liad Mout

look eena mi yeye likkle girl
mi mout a tell lie
mout sweet like sugar full a samfie
so doan believe a ting mout sey
you look 'traight eena mi yeye

if yuh big like elephant
mout tell yuh ow yuh slim
if yuh out a style like Gremlin Motor Car
mout tell yuh ow a you a carry de swing
if yuh ugly, mout tell yuh ow yuh sweet
if yuh foot back dem tuff an pappy-pappy
mout tell yuh ow dem cute an neat
if yuh kiss sour like lime
mout tell yuh ow yuh kiss nice and sweet
so doan believe a ting mout sey
it will knock you off your feet

if yuh fool like mule
moth tell yuh ow yuh smart
if mout waa get close fi try a ting
it tell yuh ow it love yuh to its heart
if it only attracted to yuh perfume
it tell yuh ow yuh beautiful as de moon in bloom
so wen mout tell yuh bout de beauty a yuh yeye
check de mirror likkle gal
a bly mout a look a bly

look eena mi yeye likkle girl
mi mout a tell lie
mout sweet like sugar full a samfie
so doan believe a ting mout sey
you look 'traight eena mi yeye

if yuh smell like Duck ants nest
mout tell yuh ow yuh sweet like turpentime
if every time him see yuh him get headache
mout tell yuh ow yuh warmth blow him mind
if mout a pauper, him tell yuh ow him big an rich
if him only have black and white tv a yard
mout tell yuh ow him own cable an satellite dish
when mout a wear gabardine

him tell yuh ow him tired a silk
and when him a wear patent boot
mout tell yuh ow it custom built

if yuh sweaty
mout tell yuh ow yuh fresh like rose
just a ded fi get yuh eena bed
fi me han tear off yuh clothes

so look eena mi yeye likkle girl
mi mout a tell lie
mout sweet like sugar full a samfie
so doan believe a thing mout sey
you look 'traight eena mi yeye.

Wha Dis

wha dis
wha dis
protest
unrest
and one more time anodder system is put to de test

wha dis
no more giving
rising cost of living
"free issue" a thing of de past
jus buy a bulla cake
and yuh mad fe have heart attack at de cost

warring factions
people call fe more action
back tax axe
to back side
de pressure going kill wi
de poor cyaan tek no more

opposing parties done fight
but de blood still a run
officers, who bring in de election guns
talk bout corruption

tribalism triumps
and wi still nuh no a who fah stunt

bip! bip! bip!
whaa-datttttt! whaa-datttttt! whaa-dattttt!
brattttttattttt-attttt-hatttttttttttttttttttttttttttttttt!
whoy
de east and west a burn

wha dis
a politicians cause it
and now dem cyaan stop it
wi cyan tek it
mi sey wi cyan tek it

if wi go left
dem push wi over de cliff
and if wi go right
de future still nuh look too bright

what can we do?

dem sey produce
but Sista Brown dis multiply
one more hungry belly pickney a cry

man a look visa
fe leave yah
man a fraud
man a run go a broad
man a dread
man red
man a loose dem head

wha dis!

John's Reality

My name is John Johnson, age 21, laborer of a suffarah's Heights address. I am now deceased. I was shot and killed by the police.

a jump out a mi sleep
look out a mi gate
an si de police jeep

God, who now?

blow wow!
dem a come, dem a come
dem a come wid dem gun
dem a com

whole heap a dem
SMG, M16
dis is a dread secne
de man dem face look mean

a run to de back
to evade de attack
a shaat fly over mi head
a scream mi innocent
wha dis fah.

rathid cup
de place surrounded
a duck
tun fool
mi waa move
but mi cyan move

help!
help!
somebody
mama
papa
yuh poor beloved son
is about to become anodder victim of dem guns

guns barking
de devils laughing
de place shaking
mi skin burning
blood dripping
head splitting
mi heart exploding
mi life start slipping
mi body start falling

bratttttttttttttttttttttttt! brattttttttttttttttttttttttttttt!
whaa-dattttttttttttt! whaa-dattttttttttttttttttttt!
bip-bip-bipbipppppppppppppppppppppppppp!

officer, oonu,cho
mi nuh animal
oonu ole cannibals
de
whole a wi a flesh man
see mi nuh got no gun
mi nuh got no knife
from mi bawn mi neva tek a life
a lie dem a tell pon mi

wey oonu conscience?

brattttttttttttttttttttttttttttttttttttttttttttttttttttttttt!
deadddddddddddddddddddddddddddddddd!
Lawd Gaad dem ago kill mi

a flash to de door
a fell to de floor
a jump to de winda
anodder shaat select in de cylinda

brattttttttttttttttttt! Brattttttttttttttttttttttttttt!
an a bite de dust.

News Flash! An unidentified youth was shot and killed by the police in a shoot out in the Suffer's Heights area of St. Catherine. One .38 Smith and Wesson revolver with the serial number erased was recovered from the dead man's body.

"What a injustice. All when mi dead dem still a frame mi."

Police Brutality

For Rodney King

bwoy it pain my heart to see
what is happening
in dis country
few people have an rights
worse if yuh skin color dark as midnight
as an officer pull yuh over
is either jail or the undertaker

police brutality
in de city
what a pity
bwoy it nuh pretty
dem pull yuh over and is box box
pull yuh over and is kick kick
pull yuh over and is whack whack
pull yuh over and is brattttatttttttt

like de other day
in a city name L.A.
a black dude
check some white cops did a play
dem pull him over fe speeding
and only de grace of God
mek dem never kill him

dem tek dem baton and dem whack him
dem tek dem boots and dem kick him
tek a stun gun and dem shock him
imagine all dis was done while people were watching

police brutality
in de city
what a pity
bwoy it nuh pretty
dem pull yuh over and is box box
dem pull yuh over and is kick kick
pull yuh over and is whack whack
pull yuh over and is click-click

now recently my dreadlocks bredda
was driving down town Miami on Flagler

when an officer pull him over
and said, "This must be a posse member from Jamaica"
de dread said, "Selassie I"
and teet start fly
and blood start run
and piss start come

police brutality in de city
what a pity
bwoy it nuh pretty

now in my country Jamaica
from yuh see some officers face
yuh see murder

they held a ceremony at the national stadium
 to honor Nelson Mandela
and a bug bit a cop
and him get hot
and jus start fire shaat
bip! bip! bipppp!

whooy Aston dead

police brutality
in de city
bwoy it nuh pretty
dem pull yuh over and is box box
dem pull yuh over and is kick kick
dem pull yuh over and is whack whack
pull yuh over and is click click

bwoy, m bredda and sister
yuh si if an officer ever pull yuh over
and yuh smell anything funny
and you don't have a tape recorder
or a video camera
jus run and bawl murderrrrrrrrr.

ADS

wanted…

one rebel reggae singer
one Bob Marley
or another Peter Wailer
one Burning Spear
with a universal song
to slay de dragon
eena dis yah Harmageddon

one voice bitter like blood
buss out like river
every corner haffi flood
wid riddimic vibrations

return de consciousness of de nation
for wi done know every color panty wi sistas wear
but dem mentality naa get us anywhere

too much so-call hits
dump de poonani syndrome in a pit
rise up conscious man
let off vintage reggae songs
win de war now
celebrate later
for dem still a gun dung wi black brothers

let de flames burn burn burn
red red red
dread

wanted
one reggae singer
urgent!

Peter Wailer

For Peter Tosh

Peter
born a wailer
west of de mountains
down in Jamaica
grew up a poor ole suffarah
sleeping under cold concrete cellars
without a modder of a fadher
became a revolutionary philosopher

Peter
born a wailer
kicked cans and stones
and hits from Babylon
dat broke bones
but couldn't kill his spirit
he preached and teach liberation
from political and economical oppression

Peter
born a wailer
crown mystic bush doctor
his audience international
his message universal
with a guitar and a mike
he waged the fight

equal rights and justice
fight, fight, fight against apartheid
downpressor man haffi get a beaten
no nuclear war
get up stand up
stand up for your rights

Peter
sorry sah
jus gone so!

but your coming will not be in vain
for your spirit has ignited
de revolutionary souls in our beings

now we burn with a passion
it will be total destruction of Babylon

we a go root up
mash up
tear dung de glass house flat

until there is no more few man rights
but equal rights and justice

Eulogy

For Detective Lattibaudire

you came from the land of the braves
sewn amongst thorns
knowing no light
having no fear

you came from the land of the braves
a migrant warrior on this frontier
passing through our jungle
intrepid Zulu warrior
maneater hunter
you spared no sacrifice
you crossed every barrier

you came from the land of the braves
the beat of your drum
transcending the boundaries of minds
yesterday today every time
the trust of your spear straight
you always entered through the front gate

brave Zulu warrior
bullfighter
rock grinder
maneater hunter
like water you scaled hurdles
lashing at lethal rocks
grinding them to sand
your message peace on earth
your mission justice for everyone

Latty
natty
rastaman
comrade
warrior
flesh of my flesh
bone of my bones

we lived with you
we all died with you
we felt every inch of your pain
every yard of your death
ashes to ashes
dust to dust
brother

Revelation

i-man
feel a heat

i-man
see a fire

i-man
smell a destruction

look man

hostility
in the air
everywhere

barbaric deeds

man hunt man
like beast
to make blood bath
feast

the church
a fall

perverts
having a ball

earthquake
a shake

torrential rain
a pour

stand by
for more

for a dreader woe
is yet to come.